J. Bloch

Effective Java

Best Practices für die Java-Plattform

Dieser Klassiker wird oft als Pflichtlektüre für Java-Entwickler bezeichnet und liegt jetzt endlich auch in deutscher Sprache vor. Joshua Bloch taucht mit Best Practices und in verständlicher Sprache in die Tiefen der Sprach- und Bibliotheksfunktionen von Java ein.

3. Auflage
2018, 410 Seiten, Broschur, € 36,90 (D)
ISBN 978-3-86490-578-0

M. Inden

Java – die Neuerungen in Version 9 bis 14

Modularisierung, Syntax- und API-Erweiterungen

Sie besitzen bereits solides Java-Know-how und möchten sich prägnant über die wichtigsten Neuerungen in den Java-Versionen 9 bis 14 informieren und Ihr Wissen auf den neuesten Stand bringen. Vertiefen können Sie Ihr Wissen durch eine Vielzahl an Übungen.

1. Quartal 2020, ca. 350 Seiten, Broschur, ca. € 26,90 (D)
ISBN 978-3-86490-754-8

M. Inden

Java Challenge

Fit für das Job-Interview und die Praxis – mit mehr als 100 Aufgaben und Musterlösungen

Dieses Buch bietet Ihnen ein breit gefächertes Spektrum von über 100 Übungsaufgaben und Programmierpuzzles inklusive Lösungen zum Knobeln und Erweitern Ihrer Kenntnisse zu unterschiedlichen praxisrelevanten Themengebieten wie Arrays, Datenstrukturen, Rekursion, Date and Time API usw.

1. Quartal 2020, ca. 400 Seiten, Broschur, ca. € 34,90 (D)
ISBN 978-3-86490-756-2

M. Inden

Der Weg zum Java-Profi

Konzepte und Techniken für die professionelle Java-Entwicklung. Aktuell zu Java 9.

Diese umfassende Einführung in die professionelle Java-Programmierung vermittelt das notwendige Wissen, um stabile und erweiterbare Softwaresysteme auf Java-SE-Basis zu bauen. Die Neuauflage wurde durchgehend überarbeitet, aktualisiert und erweitert.

4., überarbeitete und aktualisierte Auflage
2018, 1416 Seiten, Festeinband, € 49,90 (D)
ISBN 978-3-86490-483-7

S. Ruppert

Kotlin in Produktion

Vom Java- zum Kotlin-Entwickler

Kotlin eignet sich nicht nur für Android-Entwickler, auch für Backend-Entwickler hat die Programmiersprache einiges zu bieten. Dieses Buch zeigt den Weg von objektorientierter zu funktionaler Programmierung. Für den Praxisfokus sorgen Tipps und Methoden rund um Integration, Migration und Testing.

1. Quartal 2020, ca. 250 Seiten, Broschur, ca. € 29,90 (D)
ISBN 978-3-86490-706-7

R. Preißel · B. Stachmann

Git

Dezentrale Versionsverwaltung im Team
Grundlagen und Workflows

Nach einer kompakten Einführung in die wichtigen Konzepte und Befehle von Git beschreiben die Autoren ausführlich deren Anwendung in typischen Workflows, z. B. »Mit Feature-Branches entwickeln«, »Ein Release durchführen«, »Große Projekte aufteilen« oder »Continuous Delivery« und parallele Releases.

5., aktualisierte und erweiterte Auflage
2019, 360 Seiten, Broschur, € 34,90 (D)
ISBN 978-3-86490-649-7

A. Schröpfer

Go – Das Praxisbuch

Einstieg in Go und das Go-Ökosystem

Zu einer Programmiersprache gehört mehr als nur die reine Syntax. Deswegen erklärt diese Einführung in Go nicht nur die Sprache selbst, sondern gibt Starthilfe für das erste Softwareprojekt mit der populären Programmiersprache inklusive Tooling und Testing.

2. Quartal 2020, ca. 250 Seiten, Broschur, ca. € 29,90 (D)
ISBN 978-3-86490-713-5

M. Simons

Spring Boot 2

Moderne Softwareentwicklung mit Spring 5

Spring Boot verdrängt seit einigen Jahren zunehmend »klassische« Spring-Anwendungen. Dieses Buch bietet eine umfassende und praktische Einführung in die von Spring Boot 2 unterstützten Spring-Module und -Technologien. Behandelt werden dabei Themen wie Testen, Security, Deployment und Dokumentation.

2018, 460 Seiten, Broschur, € 36,90 (D)
ISBN 978-3-86490-525-4

K. Spichale

API-Design

Praxishandbuch für Java- und Webservice-Entwickler

Mit APIs bzw. Schnittstellen zum Zweck der Arbeitsteilung, Wiederverwendung oder Modularisierung haben Entwickler täglich zu tun. Dieses Buch zeigt, was gute APIs ausmacht. Nach der erfolgreichen Lektüre können Sie APIs für Softwarekomponenten und Webservices entwerfen, dokumentieren und anpassen.

2., überarbeitete und erweiterte Auflage
2019, 382 Seiten, Broschur, € 36,90 (D)
ISBN 978-3-86490-611-4

E. Matthes

Python 3 Crashkurs

Eine praktische, projektbasierte Programmiereinführung

In diesem Buch beginnen Sie mit grundlegenden Programmierkonzepten wie Listen, Wörterbücher, Klassen und Schleifen. Sie erlernen das Schreiben von sauberem und lesbarem Code mit Übungen für jedes Thema. Sie lernen auch, wie Sie Ihre Programme interaktiv machen und wie Sie Ihren Code sicher testen, bevor Sie ihn zu einem Projekt hinzufügen. Aktualisiert für Python 3!

2., aktualisierte Auflage
2. Quartal 2020, ca. 622 Seiten, Broschur, ca. € 34,90 (D)
ISBN 978-3-86490-735-7

A. Sweigart

Routineaufgaben mit Python automatisieren

Praktische Programmierlösungen für Einsteiger

Das Web durchsuchen, Dateien umbenennen oder automatisch Mails verschicken: In diesem Buch lernen Sie, wie Sie mit Python Aufgaben erledigen, die sonst Stunden benötigen. Wenn Sie die Grundlagen gemeistert haben, werden Sie Programme schreiben, die automatisch viele praktische Arbeiten erledigen. Aktualisiert auf Python 3!

2., aktualisierte Auflage
1. Quartal 2020, ca. 580 Seiten, Broschur, ca. € 32,90 (D)
ISBN 978-3-86490-753-1

N. Hartmann · O. Zeigermann

React

Grundlagen, fortgeschrittene Techniken und Praxistipps – mit TypeScript und Redux

Lernen Sie in diesem Buch, wie Sie mit React professionelle Single-Page-Anwendungen erstellen. Nach der Lektüre wissen Sie zudem, wie große Anwendungen mit der Redux-Bibliothek strukturiert und mit der Sprache TypeScript typsicher und nachhaltig entwickelt werden.

2., überarbeitete und erweiterte Auflage
2020, 402 Seiten, Broschur, € 34,90 (D)
ISBN 978-3-86490-552-0

P. K. Janert

D3-Praxisbuch

Interaktive JavaScript-Grafiken im Browser

Wenn Sie es eilig haben, D3.js zu lernen, ist dieses Buch genau das Richtige. D3.js ist die führende JavaScript-Bibliothek für webbasierte Grafiken und Visualisierungen. Das für Programmierer geschriebene Buch konzentriert sich auf Konzepte und Muster. Sie lernen, wie Sie D3 rasch auf eigene Probleme anwenden können.

2020, 268 Seiten, Broschur, € 32,90 (D)
ISBN 978-3-86490-725-8

F. Maurice

PHP 7 und MySQL

Ihr praktischer Einstieg in die Programmierung dynamischer Websites

Mit diesem Buch meistern Sie elegant den Einstieg in die Programmierung dynamischer Webseiten mit PHP und MySQL. Anhand vieler Beispiele und Übungen vermittelt Ihnen Florence Maurice gut verständlich Grundlagen und fortgeschrittene Techniken für die Entwicklung sicherer Websites.

5., aktualisierte und erweiterte Auflage
2019, 600 Seiten, Festeinband, € 22,90 (D)
ISBN 978-3-86490-601-5

F. Malcher · J. Hoppe · D. Koppenhagen

Angular

Grundlagen, fortgeschrittene Themen und Best Practices – inklusive NativeScript und NgRx

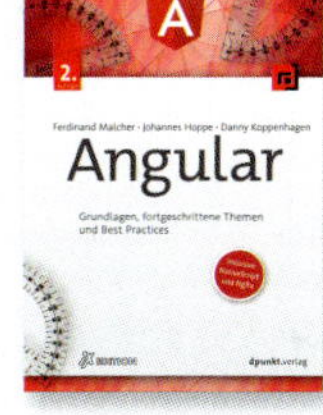

Suchen Sie einen Schnelleinstieg in das populäre Java-Script-Framework von Google? Dieses Buch führt Sie anhand eines Beispielprojekts schrittweise an die Entwicklung heran und vermittelt, wie Sie strukturierte und modularisierte Single-Page-Anwendungen mit dem neuen Angular (ab Version 8) programmieren.

2., aktualisierte und erweiterte Auflage
2019, 746 Seiten, Festeinband, € 36,90 (D)
ISBN 978-3-86490-646-6

M. Haverbeke

JavaScript

Richtig gut programmieren lernen – Von der ersten Codezeile bis zum eigenen Projekt

Auch die zweite deutsche Auflage des JavaScript-Klassikers nimmt Anfänger gewohnt einfach an die Hand und führt sie von einem Einstieg in die Programmierung bis zu komplexen Webanwendungen mit JavaScript. Die zweite Auflage wurde auf die neuesten Sprach-Features und Programmierparadigmen aktualisiert.

2., überarbeitete und erweiterte Auflage
2020, 488 Seiten, Broschur, € 32,90 (D)
ISBN 978-3-86490-728-9

M. Russo · A. Ferrari

Das ultimative DAX-Handbuch

Business Intelligence mit Microsoft Power BI, SQL Server Analysis Services und Excel

Die bekannten DAX-Experten Marco Russo und Alberto Ferrari führen Sie mit diesem Leitfaden tief in die Formelsprache DAX (Data Analysis Expressions) ein und helfen Ihnen dabei, alles von einfachen Tabellenfunktionen bis zu komplexer Code- und Modelloptimierung zu beherrschen.

2. Quartal 2020, ca. 840 Seiten, Broschur, ca. € 59,90 (D)
ISBN 978-3-86490-726-5 (Microsoft Press)

T. Lee

Windows Server 2019 Automatisierung mit PowerShell – Das Kochbuch

Praxiserprobte Rezepte zur Automatisierung und Verwaltung von Administrationsaufgaben

Mit über 90 praxisnahen Rezepten zu allen wichtigen Themen wie z. B. Active Directory, Hyper-V, Azure und Container lernen Sie, wie Sie Windows Server 2019 mithilfe von PowerShell automatisieren, um einfacher, schneller und effektiver zu arbeiten.

2020, 462 Seiten, Festeinband, € 39,90 (D)
ISBN 978-3-96009-126-4 (O'Reilly)

W. Assaf · R. West · S. Aelterman · M. Curnutt

SQL Server Administration

Insider-Wissen – praxisnah & kompetent

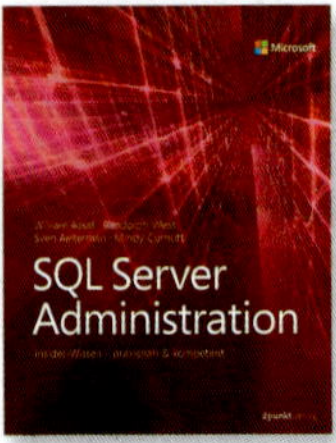

Dieses von Experten für Experten geschriebene Handbuch ist vollgepackt mit hilfreichen Tipps, zeitsparenden Problemlösungen und allem, was Sie zum Planen, Implementieren, Verwalten und Sichern von SQL Server benötigen – egal ob am eigenen Standort, in der Cloud oder in einer Hybridinstallation.

2019, 674 Seiten, Festeinband, € 49,90 (D)
ISBN 978-3-86490-584-1 (Microsoft Press)

T. Joos

Microsoft Windows Server 2019 – Das Handbuch

Von der Planung und Migration bis zur Konfiguration und Verwaltung

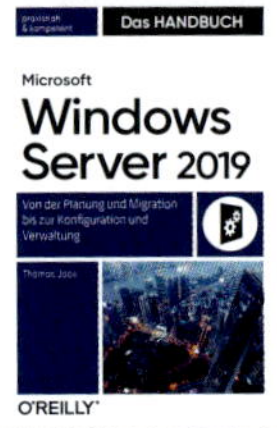

Dieses Standardwerk gibt Ihnen einen tiefgehenden Einblick in den praktischen Einsatz von Windows Server 2019, egal ob Sie Neueinsteiger, Umsteiger oder Profi sind. Planung, Migration, Konzepte und Werkzeuge zur Administration sowie die wichtigsten Konfigurations- und Verwaltungsfragen werden praxisnah erklärt.

2019, 1124 Seiten, Festeinband, € 59,90 (D)
ISBN 978-3-96009-100-4 (O'Reilly)

E. Bott · C. Stinson

Windows 10 für Experten

Insider-Wissen – praxisnah & kompetent

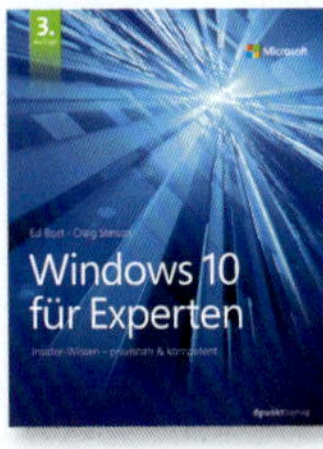

Geschrieben von einem Expertenteam erklärt Ihnen dieses Buch alles, was Sie über Windows 10 wissen müssen: von der Verwendung der neuen Zeitachse über Sicherheitsfragen bis zum fortgeschrittenen System-Management, mit vielen zeitsparenden Lösungen und Tipps.

3., aktualisierte Auflage
2019, 854 Seiten, Festeinband, € 36,90 (D)
ISBN 978-3-86490-638-1 (Microsoft Press)

T. Joos

Microsoft Exchange Server 2019 – Das Handbuch

Von der Einrichtung bis zum reibungslosen Betrieb

Dieses Handbuch bietet Ihnen einen tiefgehenden Einblick in den Einsatz von Microsoft Exchange Server 2019. Sowohl Neueinsteiger als auch Umsteiger von Vorgängerversionen profitieren vom Expertenwissen des Autors in den Bereichen Konfiguration und Verwaltung von Exchange Server.

1. Quartal 2020, ca. 700 Seiten, Festeinband, ca. € 59,90 (D)
ISBN 978-3-96009-101-1 (O'Reilly)

R. G. Haselier · K. Fahnenstich

Microsoft Office 2019 – Das Handbuch

Für alle Editionen inklusive Office 365

Ob auf dem Desktop oder in der Cloud mit Office 365 – dieses umfassende Handbuch bietet Ihnen das notwendige Know-how für den Einsatz von Word 2019, Excel 2019, PowerPoint 2019 und Outlook 2019.

2019, 960 Seiten, Festeinband, € 29,90 (D)
ISBN 978-3-96009-103-5 (O'Reilly)

B. Jelen · T. Syrstad

Microsoft Excel 2019 VBA und Makros

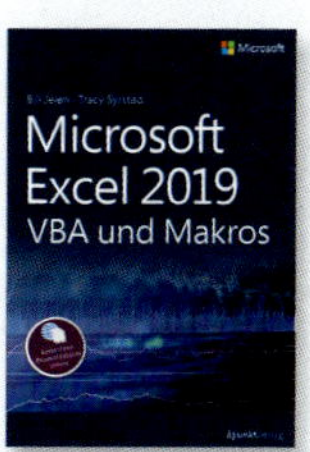

In diesem praktischen Leitfaden erfahren Sie, wie Sie mithilfe von VBA und Makros nahezu jede Excel-Routineaufgabe automatisieren und zuverlässigere und effizientere Excel-Arbeitsblätter erstellen, um in kürzerer Zeit mehr Aufgaben zu erledigen.

2019, 706 Seiten, Broschur, € 39,90 (D)
ISBN 978-3-86490-693-0 (Microsoft Press)

M. Schmidt

Die Microsoft Office 365 Online-Apps – Das Praxisbuch

Zusammenarbeit im Team mit SharePoint Online, OneDrive for Business, Teams, Planner und Co.

In diesem Praxisbuch erfahren Sie, welche Anwendungen wie SharePoint Online, Teams und OneDrive for Business Ihnen mit Office 365 im Unternehmen zur Verfügung stehen. Sie erkunden deren Einsatz anhand vieler praktischer Beispiele, um so die für Sie relevanten Anwendungen erkennen und auswählen zu können.

1. Quartal 2020, ca. 400 Seiten, Festeinband, ca. € 39,90 (D)
ISBN 978-3-96009-102-8 (O'Reilly)

G. Raviv

Power Query

In Excel und Power BI Daten sammeln, kombinieren und transformieren

Mit Power Query können Sie unterschiedliche Datensätze aus verschiedenen Quellen importieren, bereinigen, transformieren, kombinieren und vergleichen, um Daten zu analysieren und Aufgaben zu automatisieren. Gil Raviv zeigt Ihnen anhand einfacher Schritt-für-Schritt-Anleitungen und über 200 Übungen, wie es geht.

1. Quartal 2020, ca. 460 Seiten, Broschur, ca. € 39,90 (D)
ISBN 978-3-86490-727-2 (Microsoft Press)

A. Bettany · A. J. Warren

Windows 10

Original Microsoft Prüfungstraining MD-100

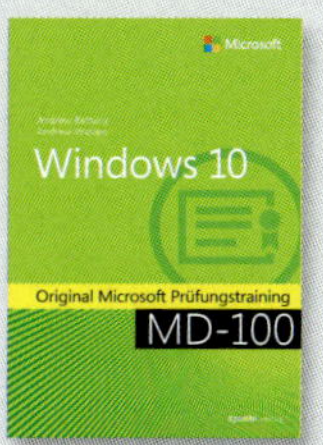

2020, 440 Seiten
Festeinband
€ 54,90 (D)
ISBN 978-3-86490-718-0
(Microsoft Press)

A. Bettany · K. Warren

Management von Modern Desktops

Original Microsoft Prüfungstraining MD-101

1. Quartal 2020, ca. 332 Seiten
Festeinband
ca. € 54,90 (D)
ISBN 978-3-86490-719-7
(Microsoft Press)

Mit den Original Microsoft Prüfungstrainings bereiten Sie sich effizient auf die Microsoft-Zertifizierungsprüfungen MD-100: Windows 10 und MD-101: Managing Modern Desktops vor. Die Bücher konzentrieren sich auf die richtige Herangehensweise an die Prüfungsfragen und deren kritische Analyse sowie den richtigen Ansatz zur Entscheidungsfindung.

C. Johner · M. Hölzer-Klüpfel · S. Wittorf

Basiswissen Medizinische Software

Aus- und Weiterbildung zum Certified Professional for Medical Software

Das Buch beschreibt den gesamten Lebenszyklus von Software als Medizinprodukt, ausgehend von den rechtlichen Rahmenbedingungen über Fragen der Gebrauchstauglichkeit, der Softwareentwicklung bis hin zum Risiko- und Qualitätsmanagement sowie IT-Security. Die 3. Auflage beinhaltet den aktuellen Stand der Normen und Richtlinien für die Medizintechnik.

3., überarbeitete und aktualisierte Auflage
2. Quartal 2020, ca. 240 Seiten, Festeinband, ca. € 42,90 (D)
ISBN 978-3-86490-743-2

M. Unterauer

Workshops im Requirements Engineering

Methoden, Checklisten und Best Practices für die Ermittlung von Anforderungen

Dieses Buch zeigt, wie Workshops zur schrittweisen Ermittlung von Anforderun gen effektiv gestaltet werden können. De Autor geht dabei über eine theoretische Betrachtung allgemeiner Methoden hinaus und tief hinein in die Mühen der täglichen Arbeit als Projektleiter, Busines Analyst oder Requirements Engineer. Die 2. Auflage enthält weitere Workshop-Idee speziell für agile Teams.

2., überarbeitete und erweiterte Auflage
2020, 226 Seiten, Broschur, € 29,90 (D)
ISBN 978-3-86490-695-4

T. Weilkiens · A. Huwaldt · J. Mottok · S. Roth · A. Willert

Modellbasierte Softwareentwicklung für eingebettete Systeme verstehen und anwenden

Das Buch beschreibt den effektiven Einsatz der Modellierung eingebetteter Software von den Anforderungen über die Architektur bis zum Design, der Codegenerierung und dem Testen. Für jede Phase werden Paradigmen, Methoden, Techniken und Werkzeuge beschrieben, wobei die praktische Anwendung im Vordergrund steht.

2018, 384 Seiten, Broschur, € 39,90 (D)
ISBN 978-3-86490-524-7

K. Pohl · C. Rupp

Basiswissen Requirements Engineering

Aus- und Weiterbildung nach IREB®-Standard zum Certified Professional for Requirements Engineering – Foundation Level

Dieses Lehrbuch für die Zertifizierung zum Foundation Level des CPRE umfasst Grundlagenwissen in den Gebieten Ermittlung, Dokumentation, Prüfung und Abstimmung, Verwaltung von Anforderungen sowie die Werkzeugunterstützung. Die 4. Auflage ist konform zum IREB®-Lehrplan Foundation Level Version 2.2.

4., überarbeitete Auflage
2015, 192 Seiten, Festeinband, € 29,90 (D)
ISBN 978-3-86490-283-3

V. Vernon

Domain-Driven Design kompakt

Aus dem Englischen von Carola Lilienthal und Henning Schwentner

Dieses Buch bietet einen kompakten Einstieg in die wesentlichen DDD-Konzepte, wie Ubiquitous Language, Bounded Contexts, Aggregates, Entities und Subdomänen. Nach der Lektüre sind Sie in der Lage, in Projekten eine gemeinsame Sprache für Fachanwender und Entwickler auch über Teamgrenzen hinweg zu finden.

2017, 158 Seiten, Broschur, € 29,90 (D)
ISBN 978-3-86490-439-4

J. Bergsmann

Requirements Engineering für die agile Softwareentwicklung

Methoden, Techniken und Strategien

Das Buch gibt einen praxisorientierten Überblick über die am weitesten verbreit ten Techniken für die Anforderungsspezif kation und das Requirements Manageme in agilen Projekten. Es beschreibt sowohl sinnvolle Anwendungsmöglichkeiten als auch Fallstricke der einzelnen Techniken. Die 2. Auflage berücksichtigt den IREB®-Lehrplan »RE@Agile Primer«.

2., überarbeitete und aktualisierte Auflage
2018, 386 Seiten, Festeinband, € 36,90 (D)
ISBN 978-3-86490-485-1

U. Vigenschow · B. Schneider · I. Meyrose

Soft Skills für Softwareentwickler

Fragetechniken, Konfliktmanagement, Kommunikationstypen und -modelle

Die Autoren zeigen praxisnahe Wege auf, im Arbeitsumfeld besser miteinander zu kommunizieren und Konflikte frühzeitig zu erkennen, um sie erfolgreich zu lösen. Aus ihrer langjährigen Entwickler- und Projektleiterpraxis heraus vermitteln sie die verschiedensten arbeitspsychologischen Modelle und Techniken anhand konkreter Beispiele aus der IT.

4., überarbeitete Auflage
2019, 376 Seiten, Broschur, € 36,90 (D)
ISBN 978-3-86490-697-8

E. Wolff

Das Microservices-Praxisbuch

Grundlagen, Konzepte und Rezepte

Eberhard Wolff zeigt Microservices-Rezepte, die Architekten anpassen und zu einem Menü kombinieren können. So lässt sich deren Implementierung individuell auf die Anforderungen im Projekt ausrichten. Demo-Projekte und Anregungen für die Vertiefung runden das Buch ab.

2018, 328 Seiten, Broschur, € 36,90 (D)
ISBN 978-3-86490-526-1

J. Arundel · J. Domingus

Cloud Native DevOps mit Kubernetes

Bauen, Deployen und Skalieren moderner Anwendungen in der Cloud

Dieses praxisorientierte Buch zeigt wie Kubernetes funktioniert und was es kann. Bauen Sie Schritt für Schritt eine Cloud-native Anwendung und die zugehörige Infrastruktur inkl. Continuous-Development-Pipeline auf, die Sie für Ihre eigenen Anwendungen nutzen können.

2019, 368 Seiten, Broschur, € 39,90 (D)
ISBN 978-3-86490-698-5

M. Gharbi · A. Koschel · A. Rausch · G. Starke

Basiswissen für Softwarearchitekten

Aus- und Weiterbildung nach iSAQB®-Standard zum Certified Professional for Software Architecture – Foundation Level

Dieses Buch vermittelt das nötige Grundlagenwissen, um eine dem Problem angemessene Softwarearchitektur für Systeme zu entwerfen. Es behandelt die wichtigen Begriffe und Konzepte der Softwarearchitektur sowie deren Bezug zu anderen Disziplinen. Die 3. Auflage ist konform zum iSAQB®-Lehrplan Version 2017.

3., überarbeitete und aktualisierte Auflage
2018, 228 Seiten, Festeinband, € 32,90 (D)
ISBN 978-3-86490-499-8

Auch als englische Ausgabe erhältlich

C. Lilienthal

Langlebige Software-Architekturen

Technische Schulden analysieren, begrenzen und abbauen

Die Autorin beschreibt, wie langlebige Softwarearchitekturen entworfen, umgesetzt und erhalten werden können. Sie erörtert an Beispielen aus real existierenden Systemen, wie die typischen Fehler in Softwarearchitekturen aussehen und was sinnvolle Lösungen sind. Neu aufgenommen in der 3. Auflage wurden die Analyse von TypeScript-Systemen sowie Clean-, Onion- und hexagonale Architekturen.

3., überarbeitete und erweiterte Auflage
2020, 316 Seiten, Broschur, € 34,90 (D)
ISBN 978-3-86490-729-6

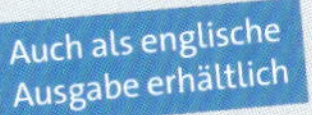

R. Bongard · K. Dussa-Zieger · R. Reißing · A. Schulz

Basiswissen Automotive Softwaretest

Aus- und Weiterbildung zum ISTQB® Foundation Level Specialist – Certified Automotive Software Tester

Die Autoren beschreiben die Besonderheiten der Tests im automobilen Umfeld. Es wird ausführlich erläutert, wie bekannte Testverfahren an die spezifischen Projektbedingungen angepasst und wie bei der Auswahl von angemessenen Testverfahren die grundlegenden Anforderungen der relevanten Normen und Standards berücksichtigt werden.

2. Quartal 2020, ca. 250 Seiten, Festeinband, ca. € 34,90 (D)
ISBN 978-3-86490-580-3

B. Lemke · N. Röttger

Basiswissen Mobile App Testing

Aus- und Weiterbildung zum Certified Mobile Application Tester – Foundation Level Specialist nach ISTQB®-Standard

Das Buch vermittelt die Grundlagen des mobilen Testens und gibt einen fundierter Überblick über geeignete Testarten, Testmethoden, den Testprozess und das Testkonzept für mobile Anwendungen. Auch auf App-Plattformen, den Werkzeugeinsatz und die Testautomatisierung wird eingegangen. Das Buch ist konform zum ISTQB®-Lehrplan »CMAT«.

2. Quartal 2020, ca. 250 Seiten, Festeinband, ca. € 34,90 (D)
ISBN 978-3-86490-748-7

C. Ebert

Systematisches Requirements Engineering

Anforderungen ermitteln, dokumentieren, analysieren und verwalten

Dieses Buch beschreibt praxisorientiert und systematisch das gesamte Requirements Engineering vom Konzept über Analyse und Realisierung bis zur Wartung und Evolution eines Produkts. Die 6. Auflage vertieft Themen wie agile Entwicklung, Design Thinking, verteilt arbeitende Teams sowie Soft Skills.

6., überarbeitete und erweiterte Auflage
2019, 496 Seiten, Broschur, € 39,90 (D)
ISBN 978-3-86490-562-9

M. Daigl · R. Glunz

ISO 29119

Die Softwaretest-Normen verstehen und anwenden

Die ISO/IEC/IEEE 29119 stellt eine Normenreihe für Softwareprüfungen dar, die Vokablar, Prozesse, Dokumentation und Techniken für Softwaretesten beschreibt. Das Buch gibt eine praxisorientierte Einführung und einen fundierten Überblick über diese Normen (Teil 1 bis 4) und zeigt insbesondere die Umsetzung der Anforderungen aus der ISO 29119 hinsichtlich der Testaktivitäten auf.

2016, 264 Seiten, Festeinband, € 34,90 (D)
ISBN 978-3-86490-237-6

F. Simon · J. Grossmann · C. A. Graf · J. Mottok · M. A. Schneider

Basiswissen Sicherheitstests

Aus- und Weiterbildung zum ISTQB® Advanced Level Specialist – Certified Security Tester

Die Autoren geben einen fundierten, praxisorientierten Überblick über die technischen, organisatorischen, prozessoralen, aber auch menschlichen Aspekte des Sicherheitstestens und vermitteln das erforderliche Praxiswissen, um für IT-Anwendungen die Sicherheit zu erreichen, die für eine wirtschaftlich sinnvolle und regulationskonforme Inbetriebnahme von Softwaresystemen notwendig ist.

2019, 414 Seiten, Festeinband, € 39,90 (D)
ISBN 978-3-86490-618-3

T. Linz

Testen in Scrum-Projekten – Leitfaden für Softwarequalität in der agilen Welt

Aus- und Weiterbildung zum ISTQB® Certified Agile Tester – Foundation Extension

Entwicklungsleiter, Projektleiter, Testmanager und Qualitätsmanager erhalten in dem Buch Hinweise und Tipps, wie Testen und Qualitätssicherung in agilen Projekten erfolgreich organisiert werden können. Tester erfahren, wie sie in agilen Teams mitarbeiten und ihre Expertise optimal einbringen können. Die 2. Auflage is konform zum ISTQB®-Lehrplan Foundatio Level »Agile Tester«.

2., aktualisierte und überarbeitete Auflage
2017, 270 Seiten, Festeinband, € 34,90 (D)
ISBN 978-3-86490-414-1

A. Spillner · T. Roßner · M. Winter · T. Linz

Praxiswissen Softwaretest – Testmanagement

Aus- und Weiterbildung zum Certified Tester – Advanced Level nach ISTQB®-Standard

In diesem Buch werden Grundlagen, praxiserprobte Methoden und Techniken sowie die täglichen Aufgaben und Herausforderungen des Testmanagements vorgestellt und anhand eines durchgängigen Beispiels erläutert. Es umfasst den benötigten Stoff zum Ablegen der Prüfung Certified Tester – Advanced Level – Testmanager.

4., überarbeitete und erweiterte Auflage
2014, 506 Seiten, Festeinband, € 44,90 (D)
ISBN 978-3-86490-052-5

K. Franz · T. Tremmel · E. Kruse

Basiswissen Testdatenmanagement

Aus- und Weiterbildung zum Test Data Specialist Certified Tester Foundation Level nach GTB

Die Autoren geben einen praxisorientierten Überblick über das systematische Testdatenmanagement sowie konkrete Anregungen für die effiziente Bereitstellung von Testdaten. Der Inhalt ist konform zum Lehrplan »GTB CTFL Test Data Specialist« nach GTB und eignet sich gleichermaßen für das Selbststudium wie als Begleitliteratur zu den entsprechenden Schulungen.

2018, 208 Seiten, Festeinband, € 32,90 (D)
ISBN 978-3-86490-558-2

M. Winter · T. Roßner · C. Brandes · H. Götz

Basiswissen modellbasierter Test

Aus- und Weiterbildung zum ISTQB® Foundation Level – Certified Model-Based Tester

Modellbasiertes Testen umfasst die Erstellung und Nutzung von Modellen für die Systematisierung, Formalisierung und Automatisierung von Testaktivitäten. Dieses Buch vermittelt die Grundlagen und gibt einen fundierten Überblick über den modellbasierten Testprozess. Die 2. Auflage ist konform zum ISTQB®-Lehrplan Foundation Level Specialist »Model-Based Tester«.

2., vollständig überarbeitete und aktualisierte Auflage
2016, 474 Seiten, Festeinband, € 44,90 (D)
ISBN 978-3-86490-297-0

G. Bath · J. McKay

Praxiswissen Softwaretest – Test Analyst und Technical Test Analyst

Aus- und Weiterbildung zum Certified Tester – Advanced Level nach ISTQB®-Standard

Das Buch deckt sowohl funktionale als auch technische Aspekte des Softwaretestens ab und vermittelt damit das notwendige Praxiswissen für Test Analysts und Technical Test Analysts – beides entscheidende Rollen in Testteams. Es umfasst den benötigten Stoff zum Ablegen der Prüfung Certified Tester – Advanced Level – TA/TTA.

3., überarbeitete Auflage
2015, 588 Seiten, Festeinband, € 44,90 (D)
ISBN 978-3-86490-137-9

M. Baumgartner · S. Gwihs · R. Seidl · T. Steirer · M.-F. Wendland

Basiswissen Testautomatisierung

Aus- und Weiterbildung zum ISTQB® Advanced Level Specialist – Certified Test Automation Engineer

Dieses Buch gibt einen fundierten Überblick, wie Testautomatisierung mit Fokus auf den funktionalen Systemtest konzipiert und in bestehende Projekte und die Organisation eingegliedert wird. Dabei werden fachliche und technische Konzepte vorgestellt. Beispiele aus verschiedenen Einsatzgebieten erläutern die methodischen Grundlagen.

3., aktualisierte und überarbeitete Auflage
1. Quartal 2020, ca. 292 Seiten, Festeinband, ca. € 34,90 (D)
ISBN 978-3-86490-675-6

A. Spillner · T. Linz

Basiswissen Softwaretest

Aus- und Weiterbildung zum Certified Tester – Foundation Level nach ISTQB®-Standard

Das Buch umfasst den benötigten Stoff zum Ablegen der Prüfung »Certified Tester« (Foundation Level) nach dem Standard des International Software Testing Qualifications Board (ISTQB®) und ist auch für das Selbststudium geeignet. Die 6. Auflage wurde komplett überarbeitet, beinhaltet praxiserprobte Testverfahren aus dem aktuellen ISO-Standard 29119 und ist konform zum ISTQB®-Lehrplan Version 2018.

6., überarbeitete und aktualisierte Auflage
2019, 378 Seiten, Festeinband, € 39,90 (D)
ISBN 978-3-86490-583-4

T. Geis · G. Tesch

Basiswissen Usability und User Experience

Systematisch und strukturiert vom Nutzungskontext zum gebrauchstauglichen Produkt

Aus- und Weiterbildung zum UXQB® Certified Professional for Usability and User Experience – Foundation Level (CPUX-F)

Gebrauchstaugliche Produkte, die ein positives Benutzererlebnis erzeugen, sind das Ergebnis eines systematischen Prozesses. Die Autoren geben einen fundierten Einstieg sowie einen Überblick über die Kompetenzfelder »Usability und User Experience« und deren Zusammenspiel anhand zahlreicher Beispiele für Gestaltungsprinzipien und Gestaltungsregeln.

2019, 282 Seiten, Festeinband, € 34,90 (D)
ISBN 978-3-86490-599-5

T. Geis · K. Polkehn

Praxiswissen User Requirements

Nutzungsqualität systematisch, nachhaltig und agil in die Produktentwicklung integrieren

Aus- und Weiterbildung zum UXQB® Certified Professional for Usability and User Experience – Advanced Level »User Requirements Engineering« (CPUX-UR)

Im Buch wird fundiert aufgezeigt, wie mit User Requirements erfolgreich die Usability und User Experience und damit die Nutzungsqualität von Produkten maximiert werden kann. Die systematisch Herleitung, Spezifikation und Strukturierung von Nutzungsanforderungen aus dem Nutzungskontext werden im Detail erörtert.

2018, 220 Seiten, Festeinband, € 32,90 (D)
ISBN 978-3-86490-527-8

J. Noack · J. Díaz

Das Design Sprint Handbuch

Ihr Wegbegleiter durch die Produktentwicklung

Design Sprints sind eine ideale Methode, um mit einem klaren Fokus auf Kundenbedürfnisse innovative Lösungen zu entwickeln – egal ob digitale oder physische. Dieses Handbuch dient als Wegbegleiter für den Sprint Master, der den Sprint durchführt. Es ist Ablaufplan, Guideline und Checkliste in einem.

2019, 220 Seiten, Klappenbroschur, € 24,90 (D)
ISBN 978-3-86490-656-5

A. Gerling · G. Gerling

Der Design-Thinking-Werkzeugkasten

Eine Methodensammlung für kreative Macher

Die Autoren beschreiben kom pakt und praxisnah den Desig Thinking-Prozess in sechs Phasen. Sie geben dem Leser einen strukturierten und für die tägliche Arbeit nützliche Werkzeugkasten an die Hand Die konkret beschriebenen Anleitungen für den gesamten Projektverlauf erleichtern die Entscheidung für das richtige Werkzeug zur richtigen Zeit.

2018, 160 Seiten, Klappenbroschur, € 16,95 (D)
ISBN 978-3-86490-589-6

T. Steimle · D. Wallach

Collaborative UX Design

Lean UX und Design Thinking: Teambasierte Entwicklung menschzentrierter Produkte

Dieses Buch bietet einen praxisorientierten Überblick zu Grundlagen und Anwendungen kollaborativer Methoden des User Experience Design. Von einem durchgängigen Praxisbeispiel ausgehend werden disziplinübergreifende UX-Methoden vorgestellt und in einem kohärenten Vorgehensmodell miteinander verknüpft.

2018, 240 Seiten, Festeinband, € 29,90 (D)
ISBN 978-3-86490-532-2

J. Whalen

Think Human: Kundenzentriertes UX-Design

Mit kognitiver Psychologie zu besseren Produkten

Designen Sie Produkte und Services mit der besten User Experience, indem Sie sich an den Wünschen, Erwartungen und Denkprozessen Ihrer Kunden orientieren. Mit seinem Modell der sechs Erfahrungsebenen hilft UX-Experte und Psychologe John Whalen Ihnen dabei, Ihre Kunden zu verstehen, Muster zu erkennen und das gewonnene Wissen erfolgreich einzusetzen.

2020, 248 Seiten, Broschur, € 29,90 (D)
ISBN 978-3-86490-715-9

F.-U. Pieper · S. Roock

Agile Verträge

Vertragsgestaltung bei agiler Entwicklung für Projektverantwortliche

Die Autoren beschreiben die vertragsrechtlichen Grundlagen bei agiler Entwicklung, die verschiedenen Varianten der Vertragsgestaltung sowie die einzenen Vertragsformen mit ihren Eigenschaften, Funktionsweisen, Vorteilen und Risiken, wobei auch eine formalrechtliche Einordnung vorgenommen wird.

2017, 168 Seiten, Broschur, € 26,90 (D)
ISBN 978-3-86490-400-4

C. Mathis

SAFe – Das Scaled Agile Framework

Lean und Agile in großen Unternehmen skalieren

Das Buch gibt einen praxisorientierten Überblick über die Struktur, Rollen, Schlüsselwerte und Prinzipien von SAFe und führt den Leser im Detail durch die Ebenen des Frameworks. Dabei steht die Umsetzung in den agilen Teams im Vordergrund. Auch auf Leadership und die Einführung von SAFe wird eingegangen.

2., überarbeitete und aktualisierte Auflage
2018, 254 Seiten, Broschur, € 34,90 (D)
ISBN 978-3-86490-529-2

Openbook zum Thema: **www.dpunkt.de/s/spm**

S. Roock · H. Wolf

Scrum – verstehen und erfolgreich einsetzen

Die Autoren beschreiben in kompakter Form die Scrum-Grundlagen und die hinter Scrum stehenden Werte und Prinzipien sowie die kontinuierliche Prozessverbesserung. Dabei unterscheiden sie zwischen den produktbezogenen, entwicklungsbezogenen Aspekten und dem kontinuierlichen Verbesserungsprozess. Die 2. Auflage wurde um Techniken wie Storytelling, Story Mapping, Roadmap Planning, Lean Forecasting ergänzt.

2., aktualisierte und erweiterte Auflage
2018, 264 Seiten, Broschur, € 29,90 (D)
ISBN 978-3-86490-590-2

M. Burrows

Openbook zum Thema: **www.dpunkt.de/s/kanb**

Kanban

Verstehen, einführen, anwenden

Mike Burrows vermittelt die Kanban-Methode anhand von neun Werten, wodurch er den Prinzipien und Praktiken Kanbans ein starkes Gerüst verleiht. Weiter werden neuere Konzepte wie die drei »Agenden« und die »Kanban-Linse« sowie die Implementierung von Kanban mittels STATIK (Systems Thinking Approach to Introducing Kanban) vorgestellt.

2015, 272 Seiten, Broschur, € 34,90 (D)
ISBN 978-3-86490-253-6

S. Kaltenecker

Tatort Kanban

Ein agiler Kriminalroman

Ein Sicherheitsunternehmen, das sich Agilität auf die Fahnen geschrieben hat. Ein Whiteboard, an dem viele bunte Karten hängen. Ein Mitarbeiter, der vor dem Board tot aufgefunden wird. War es Mord? Bei seiner Ermittlungsarbeit muss Chefinspektor Nemecek ein dichtes Netz an Beziehungen entwirren, entdeckt dabei Kanban und setzt es sogar für die eigenen Untersuchungen ein.

2019, 316 Seiten, Broschur, € 19,95 (D)
ISBN 978-3-86490-653-4

D. J Anderson · T. Bozheva

Kanban Maturity Model

So werden Unternehmen Fit for Purpose

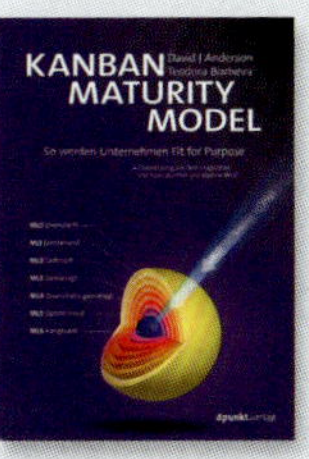

Das Kanban Maturity Model entstand durch die Arbeit in den letzten zehn Jahren bei der Einführung von Kanban in kleinen und großen Unternehmen verschiedener Branchen. Es spiegelt die Erfahrung wider, dass die angewendeten Kanban-Praktiken zur organisatorischen Reife des Unternehmens passen müssen. Die KMM-Roadmap und konkrete Maßnahmen ermöglichen, die gewünschte Business-Agilität zu erreichen.

2. Quartal 2020, ca. 220 Seiten, Broschur, ca. € 34,90 (D)
ISBN 978-3-86490-608-4

Agile Methoden

R. Wiechmann · L. Paradiek

Agile Werte leben

Mit Improvisationstheater zu mehr Selbstorganisation und Zusammenarbeit

Improvisationstheater trifft Agilität: Das scheint auf den ersten Blick eine an den Haaren herbeigezogene Idee zu sein. Tatsächlich ist es eine ziemlich gute Verbindung. Denn mit Übungen aus dem Improtheater lassen sich die agilen Werte und Prinzipien im Team verankern und damit leben.

2020, 268 Seiten, Broschur, € 32,90 (D)
ISBN 978-3-86490-708-1

R. van Solingen

Agile

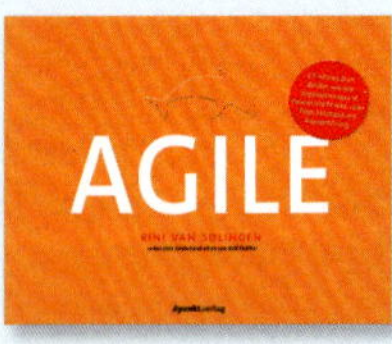

Durch die Digitalisierung befindet sich unsere Gesellschaft in einem grundlegenden Wandel und einer Beschleunigung. Unternehmen wollen flexibler arbeiten und früher Ergebnisse erzielen. Hierfür sind andere Denk- und Arbeitsweisen erforderlich. In »Agile« teilt Rini van Solingen sein Wissen, seine Erfahrung und beleuchtet eine Reihe häufiger Fallstricke und Missverständnisse beim agilen Arbeiten.

2. Quartal 2020, ca. 192 Seiten, Festeinband, ca. € 24,90 (D)
ISBN 978-3-86490-738-8

S. Kaltenecker

Selbstorganisierte Unternehmen

Management und Coaching in der agilen Welt

Das Buch bietet Ihnen alles, was Sie für die Gestaltung agiler Unternehmen brauchen. Es vermittelt ein solides Grundverständnis sozialer Systeme, beschreibt bewährte Prinzipien und Praktiken der Selbstorganisation und bietet eine breite Palette von Praxisbeispielen, die das Zusammenspiel von Management und Coaching veranschaulichen.

2017, 330 Seiten, Broschur, € 34,90 (D)
ISBN 978-3-86490-453-0

Agile Leadership

S. Kaltenecker

Selbstorganisierte Teams führen

Arbeitsbuch für Lean & Agile Professionals

Der Autor beschreibt, wie Führung in einem sich selbst organisierenden Umfeld funktioniert, und zeigt, wie c eigenen Führungskompetenzen durch den Einsatz bewährter Technik systematisch ausgebaut werden können. Die 2. Auflage wurde komplett überarbeitet und um neue Werkzeug und Fallbeispiele ergänzt.

2., überarbeitete und erweiterte Auflage
2018, 254 Seiten, Broschur, € 32,90 (D)
ISBN 978-3-86490-551-3

V. Kotrba · R. Miarka

Agile Teams lösungsfokussiert coachen

Sinnvolle Selbstorganisation braucht Vertrauen. Wie können agile Teams zusammen wachsen? Wie kann Kooperation gefördert werden? Die Autoren stellen lösungsorientierte Coaching-Methoden vor und erklärer wie sie im beruflichen Alltag erfolgreich angewendet werden können. Die 3. Auflage enthält zusätzliche Tools und neue Gedanken zum Them Selbstorganisation.

3., überarbeitete und erweiterte Auflage
2019, 284 Seiten, Broschur, € 32,90 (D)
ISBN 978-3-86490-614-5

J. Hoffmann · S. Roock

Agile Unternehmen

Veränderungsprozesse gestalten, agile Prinzipien verankern Selbstorganisation und neue Führungsstile etablieren

Agile Unternehmen agieren flexibler am Markt, entwickeln begeisternde Produkte und bieten Mitarbeitern sinnstiftendere Arbeitsplätze. Die Autoren beschreiben, was agile Unternehmen ausmacht, und bieten konkrete Praktiken an, mit denen das eigene Unternehmen schrittweise agiler gestaltet werden kann – mit vielen Fallbeispielen aus der Praxis.

2018, 214 Seiten, Broschur, € 29,90 (D)
ISBN 978-3-86490-399-1

Auch als Hörbuch erhältlich

R. van Solingen

Der Bienenhirte – über das Führen von selbstorganisierten Teams

Ein Roman für Manager und Projektverantwortliche

Dieses außergewöhnliche Buch handelt von der Geschichte von Mark, einer Führungskraft in einer Supermarktkette, in der auf Selbstorganisation umgestellt wird. Eines Tages erfährt Mark von seinem Großvater, wie dieser vom Schafhirten zum Imker wurde und was er dabei gelernt hat. Seine klugen und praktischen Lektionen scheinen überraschend gut auf Marks Situation zu passen.

2017, 126 Seiten, Broschur, € 19,95 (D)
ISBN 978-3-86490-495-0

C. Avery

The Responsibility Process

Wie Sie sich selbst und andere wirkungsvoll führen und coachen

Der Autor zeigt mit »The Responsibility Process™« den Weg und die Zwischenschritte hin zu echter Verantwortungsübernahme. Er gibt Ihnen konkrete Werkzeuge, Praktiken und Leadership-Weisheiten an die Hand, mit denen Sie lernen, diesen Prozess bewusst einzusetzen, um sich selbst und anderen kraft- und wirkungsvolles Handeln zu ermöglichen.

2019, 294 Seiten, Broschur, € 24,90 (D)
ISBN 978-3-86490-577-3

P. Koning

Toolkit für agile Führungskräfte

Selbstorganisierte Teams zum Erfolg führen

Sie fühlen sich verantwortlich für Ihre agilen Teams. Sie möchten, dass die Teams wachsen und schnell in volatilen, komplexen Märkten agieren und selbstorganisiert arbeiten. Peter Koning zeigt anhand konkreter Werkzeuge zur kontinuierlichen Verbesserung, wie Sie auf neue, effektive Art und Weise führen können.

2019, 192 Seiten, Festeinband, € 26,90 (D)
ISBN 978-3-86490-628-2

S. Sieroux · S. Roock · H. Wolf

Agile Leadership

Führungsmodelle, Führungsstile und das richtige Handwerkszeug für die agile Arbeitswelt

Die Autoren geben einen fundierten, praxisorientierten Überblick, wie agile Organisationsstrukturen aussehen können und wie der Weg dorthin mittels Agile Leadership gestaltet werden kann. Der Agile Leader findet einen Werkzeugkasten an Methoden, aus dem er sich bedienen kann, um den individuellen Wandel seiner Organisation zu begleiten.

2. Quartal 2020, ca. 230 Seiten, Broschur, ca. € 29,90 (D)
ISBN 978-3-86490-696-1

J. Kamer · R. van Solingen

Formel X

Wie Sie die Prozesse in Ihrem Unternehmen extrem beschleunigen – ein Businessroman

»Formel X« ist ein Businessroman über Geschwindigkeit, Führung und organisatorischen Wandel. Viele Unternehmen ringen mit der Tatsache, dass unsere Welt wesentlich schneller geworden ist. Sie erfahren bei ihrer Arbeit zunehmend einen scheinbar unlösbaren Konflikt zwischen Qualität und Geschwindigkeit. Doch die Formel-1-Welt beweist, dass Geschwindigkeit nicht gleich schlechte Arbeit sein muss.

2020, 196 Seiten, Broschur, € 22,90 (D)
ISBN 978-3-86490-731-9

P. Gluchowski (Hrsg.)

Data Governance

Grundlagen, Konzepte und Anwendungen

Dieses Buch greift nach einer Einordnung und Abgrenzung des Themas die unterschiedlichen Kernaspekte der Data Governance umfassend auf. Anschließend werden spezielle Facetten und Toolkategorien mit hoher praktischer Relevanz präsentiert, bevor die Darstellung spezifischer Unternehmenslösungen erfolgt.

2. Quartal 2020, ca. 300 Seiten, Festeinband, ca. € 59,90 (D)
ISBN 978-3-86490-755-5

U. Haneke · S. Trahasch · M. Zimmer · C. Felden (Hrsg.)

Data Science

Grundlagen, Architekturen und Anwendungen

Das Buch bietet eine umfassende Einführung in Data Science und dessen praktische Relevanz für Unternehmen. Es behandelt die wichtigen Aufgabenfelder, Methoden, Rollen- und Organisationsmodelle sowie grundlegenden Konzepte und Architekturen für Data Science. Zahlreiche Anwendungsfälle helfen bei der konkreten Umsetzung in der Praxis.

2019, 336 Seiten, Festeinband, € 59,90 (D)
ISBN 978-3-86490-610-7

R. Finger (Hrsg.)

BI & Analytics in der Cloud

Architektur, Vorgehen und Praxis

Die Autoren geben einen fundierten Überblick und behandeln im Detail Themen wie die Cloud als Agilitätshebel für BI und Analytics, Big Data in der Cloud, Cloud Services, Cloud-Nutzungsstrategien für Data Analytics und Social-Media-Integration. Abgerundet wird das Buch mit einem Marktüberblick zu Cloud BI. Die Beiträge spiegeln dabei die konkreten Umsetzungserfahrungen der Autoren wider.

2019, 262 Seiten, Festeinband, € 59,90 (D)
ISBN 978-3-86490-591-9

L. D. Marquet

Reiß das Ruder rum!

Eine wahre Geschichte über Führung und darüber, wie Mitarbeiter zu Mitgestaltern werden

Der Marineoffizier David Marquet hat das Atom-U-Boot Santa Fe von den miserablen Bewertungen zur Beurteilung als bestes Schiff der US-Flotte geführt. In seinem Buch schildert er die Ereignisse, Entscheidungen und Prinzipien, die seinen herausragenden Führungsstil und Leadership auf allen Ebenen begründet haben.

2. Quartal 2020, ca. 272 Seiten, Broschur, ca. € 24,90 (D)
ISBN 978-3-86490-737-1

D. J Anderson · A. Zheglov

Fit for Purpose

Wie Unternehmen Kunden finden, zufriedenstellen und binden

Dynamische Märkte erfordern an den Kundenbedürfnissen ausgerichtete Produkte. Erfahren Sie, wie Sie Kunden finden, kontinuierlich zufriedenstellen und langfristig binden. Finden Sie konkrete Antworten darauf, ob Produkte an Kundenbedürfnissen ausgerichtet sind und wie diese verbessert werden können. Lernen Sie mit dem »Fit for Purpose«-Framework ein pragmatisches Vorgehen kennen, das Sie hierbei unterstützt.

2019, 302 Seiten, Broschur, € 34,90 (D)
ISBN 978-3-86490-579-7

Know-how in der Edition ISACA Germany Chapter

M. Gaulke

Praxiswissen COBIT

Grundlagen und praktische Anwendung in der Unternehmens-IT

Das Buch führt in das Rahmenwerk und das zentrale Modell mit allen seinen Elementen ein und erläutert die zugrunde liegenden Konzepte von COBIT. Mit konkreten Beispielen der Anwendung von COBIT in deutschen Unternehmen. Die 3. Auflage bezieht sich auf COBIT 2019. Die Darstellungen sind aber weitestgehend auch für COBIT 5 anwendbar.

3., aktualisierte und überarbeitete Auflage
2020, 512 Seiten, Festeinband, € 49,90 (D)
ISBN 978-3-86490-699-2

G. Gerling · M. Breunig

Pragmatische Innovation

Ein Leitfaden für Macher und Manager im Zeitalter der Digitalisierung.

Dieses Buch führt den Leser an die systematische Entwicklung insbesondere digitaler Innovationen heran. Es vermittelt anschaulich die Phasen des Innovationsprozesses, Innovationsstrategie und -portfolio sowie organisatorische Voraussetzungen. Standardwerkzeuge der Digital Natives wie Business Model Canvas und Design Thinking werden im Detail erläutert.

1. Quartal 2020, ca. 250 Seiten, Broschur, ca. € 29,90 (D)
ISBN 978-3-86490-544-5

M. Knoll

Praxisorientiertes IT-Risikomanagement

Konzeption, Implementierung und Überprüfung

Das Buch beschreibt die Grundlagen sowie Organisationsstrukturen und Elemente des IT-Risikomanagement-Prozesses. Dabei werden gängige Methoden sowie der Einsatz von Werkzeugen anhand von Beispielen aus der Praxis erläutert. Die 2. Auflage wurde komplett überarbeitet und um Themen wie DevOps, Schatten-IT, Industrie 4.0 erweitert.

2019, 452 Seiten, Festeinband, € 46,90 (D)
ISBN 978-3-86490-655-8

N. Ebel

Basiswissen ITIL 4

Grundlagen und Know-how für das IT Service Management und die ITIL-4-Foundation-Prüfung

Dieses Lern- und Nachschlagewerk der ITIL-Expertin und erfahrenen Autorin Nadin Ebel bietet Ihnen einen umfassenden Einstieg in die aktuelle Version von ITIL und vermittelt das notwendige Wissen für die ITIL-4-Basis-Zertifizierung.

1. Quartal 2020, ca. 450 Seiten, Broschur, ca. € 49,90 (D)
ISBN 978-3-86490-710-4

A. Rüping

Gute Entscheidungen in IT-Projekten

Unbewusste Einflüsse erkennen, Hintergründe verstehen, Prozesse verbessern

Gute Entscheidungen in IT-Projekten zu treffen ist nicht einfach. Manchmal fehlt das notwendige Wissen, manchmal kann sich eine gute Meinung nicht durchsetzen. Oft erschweren auch kognitive Verzerrungen die Entscheidungsfindung. Wer jedoch auf diese Hindernisse vorbereitet ist und mit ihnen umzugehen weiß, trifft bessere Entscheidungen; gerade in Projekten, die komplex oder unübersichtlich sind.

2019, 204 Seiten, Broschur, € 29,90 (D)
ISBN 978-3-86490-648-0

Secorvo (Hrsg.)

Informationssicherheit und Datenschutz

Handbuch für Praktiker und Begleitbuch zum T.I.S.P.

Das Grundlagenwerk strukturiert das Basiswissen der Informationssicherheit in 27 aufeinander aufbauenden Kapiteln. Es stammt aus der Feder von Praktikern mit langjähriger Erfahrung in allen Bereichen der IT-Sicherheit. Das Buch eignet sich als Begleitbuch zur T.I.S.P.-Schulung.

3., aktualisierte und erweiterte Auflage
2019, 824 Seiten, Festeinband, € 84,90 (D)
ISBN 978-3-86490-596-4

E. Glatz

Betriebssysteme

Grundlagen, Konzepte, Systemprogrammierung

Dieses Buch bietet eine umfassende Einführung in die Grundlagen der Betriebssysteme und in die Systemprogrammierung. Im Vordergrund stehen die Prinzipien moderner Betriebssysteme und die Nutzung ihrer Dienste für die systemnahe Programmierung. Neu aufgenommen wurden in der 4. Auflage u. a. das Thread-Pool-Konzept, CFS und Container-Systeme.

4., überarbeitete und aktualisierte Auflage
2019, 734 Seiten, Festeinband, € 44,90 (D)
ISBN 978-3-86490-705-0

U. Troppens · N. Haustein

Speichernetze

Grundlagen, Architekturen, Datenmanagement

Lernen Sie die grundlegenden Techniken für die Speicherung von Daten auf Disk- und Flashsystemen, Magnetbändern, Dateisystemen sowie Objektspeichern kennen und erfahren Sie alles über wesentliche Übertragungstechniken wie Fibre Channel, iSCSI, InfiniBand und NVMe sowie deren praktischen Einsatz.

3., aktualisierte und erweiterte Auflage
2019, 960 Seiten, Festeinband, € 69,90 (D)
ISBN 978-3-86490-503-2

L. Betz · T. Widhalm

Icinga 2

Ein praktischer Einstieg ins Monitoring

Die erweiterte und aktualisierte Neuauflage von »Icinga 2« gibt eine umfassende Einführung in das Monitoringprodukt. Dabei zeigt es Umsteigern und Monitoring-Neulingen praxisnah, wie eine Umgebung aufgebaut und Schritt für Schritt immer umfangreicher und umfassender gestaltet wird.

2., aktualisierte und erweiterte Auflage
2018, 686 Seiten, Broschur, € 44,90 (D)
ISBN 978-3-86490-556-8

J. Forshaw

Netzwerkprotokolle hacken

Sicherheitslücken verstehen, analysieren und schützen

Top-Bug-Hunter James Forshaw befasst sich mit Netzwerken auf Protokollebene aus der Perspektive eines Angreifers, um Schwachstellen zu finden, auszunutzen und letztendlich zu schützen. Das Buch ist damit ein Muss für jeden Penetration Tester, Bug Hunter oder Security-Entwickler.

2018, 366 Seiten, Broschur, € 36,90 (D)
ISBN 978-3-86490-569-8

Konferenzen 2020

17.–19. Februar 2020, Heidelberg
Das Wesentliche zu Machine Learning
www.ml-essentials.de

2.–4. März 2020, Essen
Die Softwareentwicklerkonferenz zu Internet of Things und Industrie 4.0
www.buildingiot.de

25.–26. Mai 2020, Mannheim
Die Konferenz für Python in Business, Web und DevOps
www.enterpy.de

26.–28. Mai 2020, Mannheim
Die Konferenz für Machine Learning und Künstliche Intelligenz
www.m3-konferenz.de

15.–16. Juni 2020, München
Die Entwicklerkonferenz zur automatica
www.iiot-conference.de

17.–18. Juni 2020, Darmstadt
Deep-Dive-Trainings zu Continuous Delivery, DevOps und Containerisierung
www.devops-essentials.de

23.–26. Juni 2020, Darmstadt
Die Konferenz für Enterprise JavaScript
www.enterjs.de

1.–3. September 2020, Nürnberg
Die IT-Konferenz mit der Lern-Atmosphäre
www.herbstcampus.de

In Kooperation mit:

Als **plus+**-Mitglied können Sie bis zu zehn E-Books als Ergänzung zu Ihren gedruckten dpunkt.büchern herunterladen. Eine Jahresmitgliedschaft kostet Sie lediglich 9,90 €, weitere Kosten entstehen nicht.

Weitere Informationen unter:
www.dpunkt.plus

O'REILLY®

Weitere Bücher zum Thema Computing unter:
www.oreilly.de

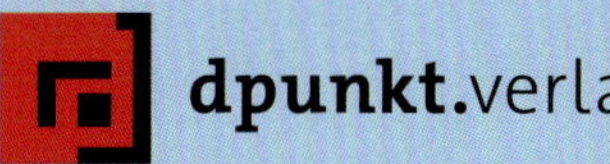

Wieblinger Weg 17
69123 Heidelberg
fon 0 62 21/14 83 0
fax 0 62 21/14 83 99
hallo@dpunkt.de
www.dpunkt.de

K. Posselt · D. Frölich

Barrierefreie PDF-Dokumente erstellen

Das Praxishandbuch für den Arbeitsalltag – Mit Beispielen zur Umsetzung in Adobe InDesign und Microsoft Office / LibreOffice

Mit starkem Praxisbezug und anhand vieler Beispiele lernen Sie, barrierefreie PDF-Dokumente zu erstellen. Nach den gesetzlichen Anforderungen und den technischen Grundlagen zeigen die Autoren die praktische Umsetzung in den Standardprogrammen und die abschließende Prüfung und Korrektur der Dokumente.

2019, 614 Seiten, Broschur, € 46,90 (D)
ISBN 978-3-86490-487-5

K. Sckommodau

Magazindesign

Gestaltungsgrundlagen und Umsetzung mit InDesign und Photoshop

Diese Anleitung führt Sie praxisnah durch den gesamten Workflow – von den grundlegenden Überlegungen zur Gestaltung über die Umsetzung in InDesign und die Bildbearbeitung bis hin zur fertigen Druckausgabe. Zudem finden Sie gezielt Lösungen für konkrete Fragestellungen und Checklisten.

2018, 320 Seiten, Festeinband, € 36,90 (D)
ISBN 978-3-86490-530-8

A. Weiss

Sketchnotes & Graphic Recording

Eine Anleitung

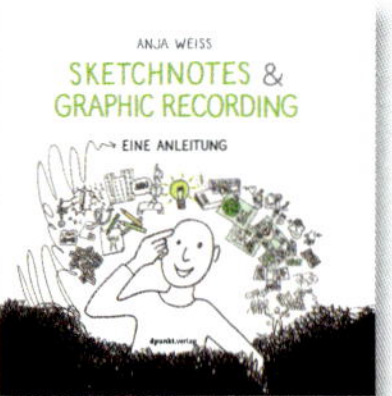

Visuell erfassen, festhalten, lernen, präsentieren – diese Anleitung führt vom einfachen Basisbildvokabular über die Umsetzung komplexer Themen in Bildern bis hin zum grafischen Verlaufsprotokoll in Wandgröße. Mit zahlreichen Beispielen, Anregungen, Übungen und Tipps zum simultanen Zeichnen vor Publikum.

2016, 206 Seiten, Festeinband, € 26,90 (D)
ISBN 978-3-86490-359-5

S. Schulze

Auf dem Tablet erklärt

Wie Sie Ihre guten Ideen einfach und digital visualisieren

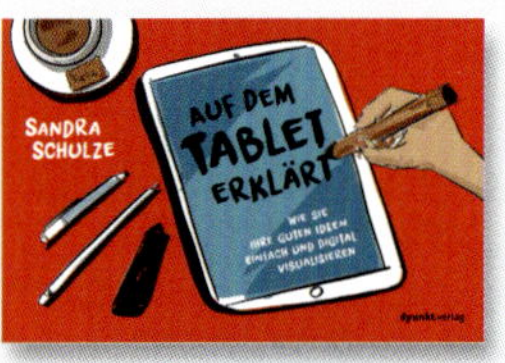

Lassen Sie sich inspirieren, wie Sie mit einfachen Mitteln Ihre Ideen verdeutlichen, Gedanken strukturieren und Ihre Botschaft visuell darstellen. Von ersten Skizzen bis zur fertigen Präsentation – hier finden Sie Anleitungen, kleine Helfer und hilfreiche Tipps für das Zeichnen mit dem Tablet.

Weitere Titel zum Thema Zeichnen:
www.dpunkt.de/s/zeichnen

2018, 316 Seiten, Broschur, € 24,90 (D)
ISBN 978-3-86490-513-1

G. Reynolds

ZEN oder die Kunst der Präsentation

Mit einfachen Ideen gestalten und präsentieren

Bestseller-Autor und Redner Garr Reynolds zeigt, wie mitreißende Präsentationen mit modernen Versionen von PowerPoint, Keynote oder anderen Tools gelingen und jeder Vortrag zur strukturierten, einfach erzählten Geschichte wird. Garrs neue Beispiele, Lektionen und Perspektiven in Farbe kombinieren bewährte Designprinzipien mit den Grundsätzen des Zen. Das Publikum wird es danken.

3., aktualisierte Auflage
2. Quartal 2020, ca. 350 Seiten, Broschur, ca. € 32,90 (D)
ISBN 978-3-86490-759-3